Ja

Ja

Uitgeverij Verba

Oorspronkelijke titel: Yes
Verzameld door: David Michaeli/Hennie te Loo

Distributie: RuitenbergBoek, Soest
Productie: TextCase, Groningen
Vormgeving: TextCase, Christa van den Brink
NUR 600
ISBN 90 5513 522 4

Inleiding

Het woord 'ja' is een spiegel waarin we tonen wie we zijn. Een 'ja' tegen iets is 'ja' tegen alles in onszelf. Het woord 'ja' is versterkend, ondersteunend, beslissend en bevestigend. Wanneer we het woord 'ja' zeggen bevestigen wij onze natuurlijke durf en bouwen aan ons zelfbeeld. 'Ja' is het beleven en accepteren van zaken en de daarmee samenhangende consequenties. Wanneer we 'ja' zeggen spreekt ons hart en dit geeft het woord een grote waarde, het is als een wonderbaarlijke schat die ons laat kennismaken met de wereld.

Ja

Een discussie met een agent verlies je altijd

Ja

Een fooi doet wonderen

Ja

Op een gitaar tokkelt u,

blazen geeft geen geluid

Ja

Bloemen zeggen meer dan woorden

Ja

De eerste groet is een daalder waard

Ja

Behandel iemand zoals jezelf
behandeld wilt worden

Ja

Een boom opzetten is goed,
maar hak die van een ander
niet om

Ja

De zwartepiet uitspelen wil niet
zeggen dat je het spel wint

Ja

Maak nieuwe vrienden maar
koester de oude

Ja

Duivels worden geboren

in je eigen geest

Ja

Bedankjes en complimenten kosten niets maar zijn erg waardevol

Ja

Uw goede idee bent u kwijt
op het moment dat u het
hebt verteld

Ja

Je kunt beter geven dan lenen

Ja

Bedenk wel:

een fooi is geen aalmoes

Ja

Accepteer altijd een uitgestoken hand

Ja

Wat in bloei heeft gestaan,

verwelkt

Ja

Waar het verstand ophoudt,
daar begint de woede

Ja

Wanneer u aangeschoten bent,
bent u kwetsbaar

Ja

Leer goed luisteren, een kans
dient zich vaak fluisterend aan

Ja

Liefde is de beste hartmassage

Ja

Klop aan ook als je een kinderkamer binnenstapt

Ja

Draag sexy lingerie onder uw correcte mantelpakje

Ja

Een echte vriend komt binnen
wanneer anderen weglopen

Ja

Zet de teevee uit

wanneer u gaat eten

Ja

Zing, ook al klinkt het vals

Ja

Streef naar kwaliteit, niet naar perfectie

Ja

Een geheim is slechts een
geheim tot u het hebt verteld

Ja

Wees een vriend voor uw vrouw
maar geen vrouw voor uw vriend

Ja

Een tweede kans is goed,
maar geef nooit een derde

Ja

Leg de hoorn naast het toestel
wanneer u over liefde spreekt

Ja

Geef uw kinderen niet
het beste speelgoed,
geef het beste van uzelf

Ja

U kunt nu mooi weer spelen
maar morgen regent het

Ja

De mens met dromen is
gelukkiger dan de mens
met feiten

Ja

Laat de mensen weten

waarvoor en waarachter u staat

Ja

Vooroordeel en discriminatie gaan hand in hand

Ja

Overdaad schaadt, op elk gebied

Ja

Bespreek in de lift een probleem met iemand die zeurt

Ja

Wees bereid een slag
te verliezen om
de oorlog te winnen

Ja

Houd het simpel,
het leven is geen cryptogram

Ja

Wees op uw hoede voor iemand
die niets te verliezen heeft

Ja

Om iets aan uw lijn te doen
kunt u ook een goede
kleermaker zoeken

Ja

Als u veel belooft hebt u ook veel waar te maken

Ja

Een zin met een uitroepteken is
duidelijker dan die met een
vraagteken

Ja

Om een vriend te vinden dient u
één oog te sluiten, om hem te
behouden: twee

Ja

Maak je drukker om het slechte
leven dan leven om een slechte
drukker

Ja

Eerst sparen dan kopen, maakt
uw leven een stuk gemakkelijker

Ja

Spijt en vergiffenis zijn toverwoorden

Ja

Uw goede naam is uw meest waardevolle goed

Ja

Hij speelt de eerste viool, maar
wat moet hij zonder orkest

Ja

Neem een dokter van uw
eigen leeftijd, dan kunt u
samen oud worden

Ja

Bedenk dat iedereen

iets weet wat u niet weet

Ja

Een vriend die niet in nood zit is
een ware vriend

Ja

Het is niet om de knikkers maar

om het recht van het spel

Ja

Liefhebben moet u leren

Ja

Waar je ook bent,
het zijn je vrienden die
je leefomgeving creëren

Ja

Lachrimpels zijn
de enige rimpels die
een gezicht verjongen

Ja

Hysterische pressiegroepen verdienen het gehaat te worden

Ja

Het is een goede zaak

's morgens koffie te drinken

Ja

U moet uw woorden wegen
voordat u ze uitspreekt

Ja

Woorden hebben impact, kracht
en functie. Realiseer hun sterkte

Ja

Woorden kunnen pijn doen

Ja

Het is moeilijk om met een stervende te communiceren

Ja

Ze spelen elkaar de bal toe,
maar hij maakt de doelpunten

Ja

Iedere actie draagt een prijs

Ja

Echte luiheid is werken aan een verkeerde zaak

Ja

Als al het water verdampt zal
de mensheid ook verdwijnen

Ja

Vriendschap is de wijn van het
leven, hoe ouder hoe beter

Ja

Beweging houdt u in leven

Ja

Ieder persoon zal u eigenlijk zijn
probleem willen vertellen

Ja

Hoe hoog je een pijl ook schiet,

hij valt krachteloos omlaag

Ja

Sterven moet u leren

Ja

U moet uw eigen leefomgeving kiezen en creëren

Ja

Voordat u kiest dient u te
luisteren naar uw innerlijke stem

Ja

Stilte is de beste conversatie
tussen vrienden

Ja

Geluk lijkt gemaakt om te delen

Ja

Vriendschap is als een schilderij,
plaats het in het beste licht

Ja

Onverklaarbaar is de pijn van
het vertrek dat slechts stilte
achterlaat

Ja

Handjeklap spelen geeft nog

geen applaus, je moet eerst alle

koeien verkopen

Ja

Een teddybeer blijft een beer,
zelfs wanneer hij oud is en
versleten

Ja

Als een vriend u wat vraagt,
is er geen morgen

Ja

De wetenschap dat een vriend u
zal helpen, geeft u vertrouwen

Ja

Wat heb je aan iemand die je
alleen maar kunt benaderen met
de juiste woorden

Ja

Liefde is blind maar vriendschap
sluit de ogen

Ja

Geliefden leven niet alleen in
harmonie maar ook in melodie

Ja

Er is heel wat kinderliefde
nodig om van een pop
een baby te maken

Ja

Anderen begrijpen is kennis,
jezelf kennen is verlichting

Ja

U kunt op uw poot spelen maar
dat geeft geen muziek

Ja

Geluk en ongeluk is vervlochten
tot de levensdraad

Ja

De liefde is als een echo, geef je het dan komt het in veelvoud terug

Ja

Als je wakker blijft zul je nooit dromen

Ja

Vragen om liefde
is als het vragen naar
de kleur van de wind

Ja

Hij speelt 'aap wat heb je mooie jongen' tegen een giraf

Ja

Va banque spelen om de Keizer

zijn baard heeft geen zin

Ja

Baden help niet tegen onreinheid van de geest

Ja

Al rept u zich naar een vliegtuig,
het landt op de geplande tijd

Ja

Een ogenblik gaat sneller dan het geluid

Ja

Er zijn onwaarheden, grote leugens en statistieken

Ja

De keus van de burger wordt meestal bepaald door de portemonnaie

Ja

De theocratie van de kerk maakt de politiek ondemocratisch

Ja

De moderne mens is gek op avontuur, maar hij mag niet worden verrast

Ja

De mens kan het tij niet keren,
dat zijn zand, rotsen en
basaltblokken

Ja

Kaviaar eten en champagne drinken doe je niet op de kermis

Ja

Met whisky bent u zo lekker van de wereld af

Ja

is ja en daarmee uit

Ja

U bent uw eigen baas

Ja

Een tamme leeuw is gevaarlijker
dan een wilde poes

Ja

Betekent hetzelfde als 'Yes' in Engeland

Ja

Generaliseren mag iedereen,
niet enkel generaals

Ja

Soms zie je door de bomen

het bos niet meer

Ja

De verbetering van de wereld begint bij jezelf

Ja

Het kind is altijd van de moeder,
maar voor de vader is het de vraag

Ja

Met het oog ben je zo bij iedere planeet

Ja

U bent gelukkig,
maar zijn zij het ook?

Ja

Waarom niet?

Ja

Is de bevestiging van het positieve

Ja